UNE AFFAIRE DE VIE OU DE MORT

UNE AFFAIRE DE VIE OU DE MORT

Directrice de collection
Françoise Ligier

Révision
Michèle Drechou
Maïr Verthuy

Conception graphique
Meiko Bae

Illustrations intérieures
Sharif Tarabay

Illustration de la couverture
Sharif Tarabay

Mis en page sur ordinateur par
Mégatexte

© Copyright 1991
Éditions Hurtubise HMH, Ltée
7360, boulevard Newman
Ville LaSalle (Québec)
H8N 1X2
Canada

Téléphone (514) 364-0323

ISBN 2-89045-881-4

UNE AFFAIRE DE VIE OU DE MORT

Marie-Françoise TAGGART

Marie-Françoise TAGGART

Marie-Françoise Taggart est née à Montréal en 1968. Elle a toujours aimé écrire. À l'âge de 22 ans, elle publie son premier roman, *Paye-moi une bouffe poète !*

Marie-Françoise Taggart aime la ville, les voyages, le théâtre. Elle a enseigné l'anglais au Japon et enseigne maintenant le français à Montréal, tout en poursuivant des études en littérature et en didactique.

*E*n fait, l'événement est survenu au début du mois de mars dernier. Comment est-ce arrivé, et pourquoi à lui plutôt qu'à un autre? C'est dur à expliquer. Pourtant David a toujours été un gars simple. Sa vie, jusque-là, avait suivi son cours normal, ou à peu près, et ressemblait à celle de sa génération.

Il était né à Montréal de parents pauvres, et la petite famille avait long-temps habité le sous-sol d'un de ces immeubles conçus pour loger les gens à faible revenu, logements que le gou-vernement subventionne, des loge-ments sociaux, comme on les appelle. De ce sous-sol aujourd'hui, il ne retient que des murs, des murs tristes et bas où, la nuit, courait une colonie de co-querelles qui se précipitaient dans toutes les fentes quand on allumait la lumière. Enfant, loin de ressentir de la répugnance envers elles, David avait toujours été fasciné par ces bestioles qu'il observait, à leur insu, dans l'obscurité. Et, quelques années plus tard, alors qu'il se levait vers quatre heures tous les matins pour étudier, il les savait là, cachées dans le mur, grouillantes, tout autour de lui alors qu'il révisait ses sciences et ses maths. Il sentait une espèce de confrérie avec ces insectes, du fait qu'ils occupaient le logement la nuit, alors que tout le monde dormait. Tout comme lui qui, dans la clandestinité des petites heures, rédigeait ses travaux scolaires sur le coin de la table de la cuisine. Sa persévérance et son acharnement l'avaient conduit jusqu'à l'obtention d'un diplôme en sciences informatiques dans une très bonne université, et il avait été, presque tout de suite, engagé par une grande firme, les Communications Soleil.

C'est ainsi qu'à vingt-sept ans, David avait un emploi stable, un

appartement décent. Sa routine quotidienne ne changeait guère d'un bout de l'année à l'autre. L'été il se promenait en tenue légère, l'hiver il endossait un pardessus. Il fréquentait régulièrement à peu près les mêmes cafés, les mêmes restaurants. Il n'avait aucun problème majeur, il était relativement bien dans sa peau, et même, jusqu'à un certain point, il se considérait comblé par les événements.

Donc, ce matin-là, celui dont je vous parle, voilà qu'il bondit de son lit, réveillé en sursaut par un hurlement de femme qui semble provenir du palier sur lequel donne la porte de son appartement. Le cri s'accompagne d'un bruit sourd, celui que ferait un corps en tombant, comme si celui-ci avait atterri sur le palier à l'étage inférieur de l'immeuble. L'on entend des portes qui claquent dans le couloir.

– La paix! A-t-on idée de réveiller les gens à une heure pareille? gueule-t-on à travers la cage de l'escalier.

Petit à petit, les cris de la femme se transforment en un grognement à peine audible. Une femme soûle, probablement. Il y a un tel anonymat ici que l'on ne peut jamais savoir réellement ce qui se passe ailleurs que chez soi.

Pendant ce temps, David a enfilé une paire de chaussettes et bâille, assis au bord du matelas que son poids fait glisser vers le sol. Il jette un coup d'œil par la fenêtre, passe une main sur son menton râpeux, mécontent de cette journée qui commence comme une gifle en pleine figure. Cette nuit, il est revenu chez lui très tard, ou plutôt très tôt – il ne se souvient plus trop comment, d'ailleurs – d'une de ces fêtes organisées par la compagnie pour laquelle il travaille. Une fête destinée à «favoriser les relations amicales entre les employés». Et quels échanges! Il a dû prendre un coup puisqu'il ne se souvient de rien. Et il est évident qu'il traîne une gueule de bois.

Et puis il a un million de choses urgentes à régler ce matin, comme tous les matins, et comme tous les matins il n'a aucune envie de les aborder.

Ce n'est rien de bien important, quelques petits soucis qui traînent depuis un certain temps. Il lui faut par exemple, passer chez le nettoyeur prendre son complet bleu marine, puisqu'il devra le porter à la réunion avec le président-directeur général demain. La dernière fois, il a bien fait attention de porter ce seul et unique complet, mais une fois dans la salle de réunion, sous l'œil insistant d'une secrétaire qui voulait discrètement l'avertir, David s'est entrevu dans l'une de ces glaces oblongues qui tapissent les murs du bureau. Le complet, à l'origine d'un bleu foncé, officiel, strict, était resté dans le placard si longtemps que de longs sillons gris formés par une poussière incrustée avaient fait leur apparition le long des manches, autour du col et des poches. Le pantalon était dans un état tout aussi pitoyable. À la fin de son discours, le président-directeur général n'avait pas manqué de l'avertir au sujet de cette «tenue négligée». Et la honte cuisante que David avait ressentie alors avait été si insoutenable qu'il en était devenu tout rouge. Le simple souvenir de cet incident le fait encore rougir. Il se calme à l'idée que cette fois-ci, il aura un complet impeccable.

Depuis un petit moment maintenant, alors qu'il rumine tout ceci, il fixe par la fenêtre un point vague, dans la rue en bas. Et soudain il la voit, la femme qui hurlait tout à l'heure dans la cage d'escalier, et qui vient de sortir.

Là, tout en bas, se profilent le manteau froissé, la silhouette lourde, les épaules rondes que David reconnaît. Il l'a déjà aperçue, il sait que c'est une vagabonde, une sans-abri. Si vous connaissez ce quartier, vous l'avez peut-être remarquée, vous aussi. Elle erre par les rues, portant ce grand manteau dont les pans déchirés volent derrière elle, claquant l'un contre l'autre au moindre geste brusque de sa part. Elle a un grand nez droit levé fièrement comme pour dire qu'elle est partout chez elle, que tout ce qu'elle voit lui appartient. Et ces chapeaux étranges, de laine, de fourrure, de cuir, qu'elle s'enfonce sur la tête et qu'elle doit dénicher dans les poubelles. Oh, oui, celle-là, il la reconnaît. La Folle. Le cheveu graisseux. Toujours une bouteille à la main. C'est la deuxième ou la troisième fois depuis hier qu'il la voit rôder près de sa rue. Ce matin, elle a dû entrer dans son immeuble, en quête de chaleur sans doute. Peut-être même a-t-elle sonné à une porte pour demander l'aumône. Mais les gens par ici ne sont pas très généreux. Ils sont pauvres. Et ils ont peur, surtout. Ils l'ont vue soûle, déjà, et ils la jugent sévèrement.

David, de son poste, peut très bien l'observer; elle titube, puis glisse sur la glace recouvrant le trottoir et s'écroule. Elle ne bouge plus. Elle reste ainsi, ivre morte certainement. Comment ces gens-là survivent-ils aux grands froids? C'est un mystère.

À la vue de cette loque humaine étendue sur la glace, un vertige le saisit. Il en a un tel dégoût qu'il doit détourner le regard, chercher un point d'appui.

Une fois dans la cuisine il retrouve l'équilibre, entre des objets familiers, tous à portée de main. Car sa cuisine est minuscule. La plupart des gens n'aiment pas ces cuisines étroites et fermées. Ils préfèrent encore la cuisinette, ce qui n'est pas vraiment une cuisine, mais un recoin de l'appartement réservé à la préparation de la nourriture, presque un couloir, et qui s'ouvre sur une pièce toute grande. Ce qui donne, s'il n'y a pas une grande superficie, du moins l'illusion de l'espace.

Mais David, lui, est très content de sa cuisine fermée. Un cubicule, neuf mètres carrés en tout, avec un réchaud, un petit réfrigérateur, un évier et une tablette en demi-lune, où il s'installe pour manger. Il aime bien, le matin, boire son café dans le peu de place que lui laissent la chaise et la tablette. Il se sent à l'abri entre ces quatre murs. Il n'aime pas manger devant les autres, il estime que cette activité devrait se faire dans l'intimité. D'ailleurs, la nourriture n'est jamais meilleure que lorsqu'on la déguste dans la solitude, un peu en retrait, caché. Et la cuisine fermée le cache complètement de tous les regards. Là, en sécurité, il se sent déjà mieux.

David n'a jamais été particulièrement sociable. Il s'entend bien avec ses collègues, a gardé quelques relations de la belle époque de ses études, mais il est peu liant. Au travail le matin, il se rend directement à son bureau alors que les autres s'agglutinent autour de la machine à café pour échanger des nouvelles ou faire des commentaires sur les derniers événements sportifs. Le soir, il se contente de saluer le concierge ou ses voisins, préférant ne pas s'engager dans de vains bavardages. Même au café, s'il est aimable avec le personnel et les autres clients réguliers, il ne se livre pas, préfère garder ses pensées pour lui.

Il finit par oublier son malaise, s'habille, et s'apprête à sortir, à affronter une nouvelle journée. Alors qu'il descend les marches qui mènent vers le trottoir, le vertige le saisit à nouveau. L'air humide, un peu pourri, de l'hiver qui s'éternise dans une bruine insalubre, le surprend. Si c'est parce qu'il a exagéré hier soir qu'il se sent comme ça ce matin, c'est bien la première fois que ça lui arrive. L'alcool ne l'a jamais rendu malade.

Il s'arrête un moment pour reprendre son souffle. On appelle cela « le lendemain de la veille », pense-t-il. Et il se rend compte que la sensation est loin d'être agréable.

Il poursuit sa marche. Pas une minute, l'idée ne lui viendrait de manquer le travail aujourd'hui. Et puis tout le monde sera sûrement dans le même état que lui. On se moquerait de lui s'il téléphonait aux Communications Soleil pour dire qu'il est trop malade pour travailler. Et puis, sans être agréable, son état est du moins supportable.

Comme il fixe le bout de ses souliers, en marchant, il ne voit pas tout de suite le corps inerte qui gît en travers du trottoir qu'il a emprunté. Un instant cependant, interrompant ses réflexions, il lève les yeux et se rend compte que la Folle est toujours couchée là, où il l'avait vue plus tôt par la fenêtre, lui barrant le passage. Sa première réaction est de penser: en voilà une qui souffre du «lendemain de la veille» aussi! Mais il hésite à passer près d'elle. Il ralentit légèrement le pas. Il devra la contourner, c'est ridicule. Cette vieille sans-logis va mourir de froid si elle reste ainsi, inconsciente. Et il n'y a personne d'autre dans cette rue. Mais la simple idée de la réveiller, d'avoir à la toucher peut-être pour l'aider à se remettre debout, le fait frissonner.

Il choisit de traverser la rue tout de suite, puisque de toute façon, c'est dans cette direction que se trouve le métro.

Mais il est stoppé dans son élan par une flaque de «sloche» géante qui borde tout le trottoir, et ne s'amincit que plus loin, de l'autre côté du corps de la Folle. Il est impossible de traverser maintenant sans se salir tout le bas du pantalon. Et il n'a pas du tout envie d'arriver au travail le pantalon couvert de mouchetures de calcaire, de la cheville au genou. Il en a déjà eu assez avec sa malheureuse expérience de la dernière réunion mensuelle. Il n'aimerait pas qu'on lui fasse encore des remarques. Il déteste par-dessus tout être le point de mire. C'est pourquoi il continue d'avancer vers la Folle, sans changer de trottoir.

Arrivé à sa hauteur, il ne peut s'empêcher de jeter un coup d'œil sur ce visage boursouflé, cette bouche entrouverte, et cette tête de cadavre à demi engloutie sous la neige fondante. Cette fois il s'arrête. C'est qu'elle n'a pas l'air très vivante. Alors, serait-elle morte? Et dans ce cas, que faut-il faire?

Quand une personne sans-abri meurt dans un lieu public, la police se charge du cadavre. Elle arrive sur les lieux et, sans trop de bruit, retire discrètement la dépouille du trottoir, nettoie un peu autour et tout rentre dans l'ordre. Seulement ici il n'y a ni police ni téléphone dans les environs. Il lui faudrait retourner à l'appartement, appeler l'urgence. On lui demanderait son nom. On lui demanderait peut-être même de rester jusqu'à ce que la police arrive. On le questionnerait. Où habitez vous ? Que faites-vous dans la vie ? Pourquoi empruntiez-vous cette rue ce matin ? Quel est votre numéro de sécurité sociale ? On le questionnerait aussi au sujet de la Folle. La connaissez-vous ? L'avez-vous déjà vue ? Pourquoi ne pas nous avoir avertis plus tôt ? Tout cela, en plus de le faire arriver au travail en retard, le gênerait au plus haut point. Il se sentirait comme un criminel qu'on vient d'arrêter. Les voisins l'observeraient de leurs fenêtres. Les passants s'attrouperaient.

Il se penche vers la Folle qui gît dans la plus mortelle immobilité. Un visage blanc que tout le sang semble avoir quitté, marqué d'enflures diverses. Un visage fripé qui semble jaillir, comme un crachat arrogant, du fond sombre de ses foulards et de ses manteaux informes étalés dans la neige. Il reste ainsi, à la détailler, cherchant un petit signe de vie, un mouvement respiratoire, aussi faible soit-il. Mais la Folle semble morte. Même les muscles de la bouche sont figés dans une expression d'agonie, comme si elle avait été terrassée. Et cette bouche écrasée, ces yeux clos, cette chair cadavérique offrent un macabre spectacle.

Brusquement, à son plus grand étonnement, en une fraction de seconde, les deux yeux s'ouvrent tout grands et les deux prunelles le regardent avec une telle fixité qu'il est transi de peur. C'est une vision d'horreur. Surpris, secoué d'un grand frisson, il recule maladroitement et s'éloigne à

grandes enjambées. Il se mettrait à courir, si les conditions s'y prêtaient.

Ayant son siège social au vingtième étage d'un gratte-ciel du centre-ville, la compagnie des Communications Soleil est une de ces entreprises modernes nées avec l'essor de la technologie et l'apparition du marketing moderne. Elle leur doit son origine, son bon roulement et même sa réussite; car, depuis la Seconde Guerre mondiale, la technologie, et plus particulièrement l'informatique, ont révolutionné le mode de fonctionnement du monde des affaires, jusque dans des détails qui paraissent à prime abord anodins, mais qui régissent en fait toute la structure interne de l'économie. On n'a qu'à penser à la différence fondamentale qui existe entre l'utilisation d'une machine à écrire et celle d'un ordinateur. À la différence entre l'argent comptant et la carte de crédit. C'est toute une mentalité qui en recouvre une autre. Et cela, les dirigeants des Communications Soleil l'ont pressenti, il y a maintenant près d'un quart de siècle, quand le concept de marketing, tel qu'on le comprend aujourd'hui, commençait à être à la mode. Plusieurs petites entreprises ont vu le jour depuis, mais les Communications Soleil gardent un incontestable monopole dans le domaine. On y offre des services destinés uniquement à d'autres compagnies : des compilations de statistiques, des élaborations de dossiers, des prévisions méthodologiques, économiques, boursières, enfin, un peu n'importe quoi pourvu que cela rapporte. C'est le genre de société pour laquelle les mots «rapidité», «efficacité» et «rentabilité» sont non seulement des mots clés mais en sont le credo fondamental.

Tout n'y est qu'apparence, dirait-on. David se demande à l'occasion si, derrière ces apparences, il existe une quelconque réalité. Il a parfois l'impression d'avoir lui aussi été vidé de toute substance, de n'offrir au monde qu'une image. Peut-être est-ce là le propre d'une société moderne.

Pour être toujours à la fine pointe, la compagnie a d'ailleurs très vite adopté un style de gestion interne à la japonaise; c'est ce qui explique la fréquence des réunions auxquelles le personnel doit participer, ou faire semblant de participer, du moins. Les employés sont invités à s'y exprimer au sujet de leur travail. Puis viennent les fêtes, les rencontres, les sorties, qui ne sont pas nécessairement obligatoires, puisque aucune compagnie nord-américaine n'aurait l'audace d'imposer cela à ses employés, mais où il est bien vu de se présenter, au moins une fois sur deux, même à titre purement symbolique. Comme pour tout le reste, la compagnie fonctionne grâce à une série de contacts, et ceux-ci s'établissent facilement à l'occasion de déjeuners d'affaires.

Et cela, David le sait très bien. Il comprend toute la manœuvre, la ruse de cette entreprise pour laquelle il continue de travailler pourtant. Mais il a accepté l'emploi parce que, au fond, tout ce qu'il souhaite dans la vie c'est qu'on lui fiche la paix et qu'on lui donne un salaire. Aussi il se tait, et subit les réunions mensuelles, les « party », les cocktails. Mais jamais il n'irait jusqu'à vouloir être représentant, même si ce poste est l'un des plus convoités car l'un des mieux rémunérés. Le représentant va chercher le client, et David n'aime ni aller chercher les autres, ni que les autres viennent le chercher.

Ce matin donc, il a le cœur qui bat la chamade quand il atteint les grandes portes vitrées de l'édifice des Communications Soleil. Il a dû combattre l'envie de vomir tout le long du trajet qui l'a mené jusqu'au travail. Dans le métro, il avait le pouls rapide, le souffle court de celui qui vient d'échapper à un grand danger, ou qui a été confronté à une vérité profonde. Mais cette réaction est absurde : qui peut craindre une vieille sans-abri ? Dans l'ascenseur, alors que son émotion s'efface au fur et à mesure qu'il s'approche de son lieu de travail, il se rend compte combien son réflexe a été dérisoire. Au troisième étage, une femme en tailleur, au nez pincé et à la gourmette clinquante, entre et le bouscule sans s'excuser. Il ne dit rien mais se retire dans un coin. Puis, après réflexion, un éclair de révolte le traverse; qu'est-ce qui permet à cette pimbêche de le bousculer, alors qu'il n'y a personne d'autre dans l'ascenseur, que la place ne manque pas?

«Je suis vraiment pogné...», pense-t-il alors dans un soupir.

Avoir peur parce qu'une vieille clocharde soûle est couchée dans la rue. Avoir peur parce que demain il y aura réunion mensuelle. Avoir peur de faire remarquer à cette dame qu'elle devrait s'excuser. Même son employeur, qu'il déteste, pour dire la vérité, lui fait peur au point que David n'oserait pas lui annoncer sa démission.

Car, s'il examine froidement les faits, il démissionnerait bien aujourd'hui même. Il s'est senti contraint d'aller à cette soirée hier. De boire un

verre, comme tout le monde. Un verre de trop. Et ce matin il est franchement malade. Il n'a pas du tout envie d'aller saluer ses collègues qui n'attendent qu'un prétexte pour l'humilier, pour se moquer de lui. Tous ses collègues ressemblent à cette dame qui se tient debout devant lui dans cet ascenseur, et dont il peut sentir le parfum arrogant, deviner l'esprit méprisant et orgueilleux. Elle est de ces gens qui se croient supérieurs aux autres. Cette façon qu'elle a, qu'ils ont tous, de faire tinter leur trousseau de clefs dans la poche, de tambouriner sur les portes plutôt que de frapper, de taper du pied, ce n'est qu'une mise en scène, un jeu, une attitude. C'est pour faire croire aux autres – et ils finissent par s'en convaincre eux-mêmes – qu'ils sont extrêmement occupés, extrêmement importants. Que sans eux, la terre cesserait de tourner. Qu'ils méritent leur salaire, leur train de vie. Et hop! Rendez-vous avec untel, et hop! Déjeuner au restaurant avec tel autre. Hop! Taxi! Hop! On bouscule quelqu'un et on ne daigne même pas s'excuser.

Enfin l'ascenseur arrive au vingtiè-me étage, et les portes s'ouvrent. Il en sort alors un David nouveau, changé. Cette fois il ira donner sa démission, et au diable la sécurité du chèque de paie qui tombe tous les quinze jours.

Mais sa révolte ne dure qu'un éclair. Et sa rébellion soudaine devant ce monde faux, cette réalité tronquée, n'aura duré que le temps d'un éclair, aussi. Dès que David émerge dans la tranquillité luxueuse de l'aire de récep-tion, dès qu'il pose le pied sur la mo-quette moelleuse, dès qu'il se trouve tout entier à l'intérieur de ce cocon douillet dont le calme olympien enrobe tout être s'y trouvant, son courage tombe tout à fait. La secrétaire est rivée à son écran cathodique, et ne le voit pas passer. Aussi se contente-t-il, comme il le fait souvent, de se diriger le plus discrètement possible vers son bureau, sans faire de bruit.

Tout penaud, il s'assied devant la pile de statistiques qu'il aura à traiter toute la journée. Il n'a pas commencé que déjà il ressent le début d'un mal de tête. Et le vertige de tout à l'heure reprend le dessus.

Au bout d'un moment il se traîne jusqu'aux toilettes comme il le fait d'habitude vers dix heures tous les matins, question de changer de décor. Et là, devant les lavabos, il reste sidéré par la vision d'horreur que lui renvoie le miroir : il est blanc comme neige, il a les yeux cernés, et il a complètement oublié de se raser. En plus, sa chemise est parfaitement de travers. Selon toute évidence, en l'attachant ce matin, dans son désarroi il a placé le premier bouton dans la mauvaise boutonnière de sorte que d'un côté le col lui remonte jusqu'au menton alors que de l'autre il laisse voir sa clavicule. Il entreprend aussitôt de se reboutonner et, pour ce faire, commence par ouvrir complètement sa chemise. Mais ses doigts sont difficiles à contrôler, glissent sur les bords du tissu, tremblent si fort que du coup ils arrachent deux de ses boutons qui vont rouler sous le lavabo.

Il se retrouve donc, en l'espace de quelques secondes, la gueule sale et le torse dénudé, sans y pouvoir quoi que ce soit. La simple idée que quelqu'un pourrait entrer à tout instant et le trouver ainsi le terrorise. Alors mortifié il se réfugie dans une cabine et il referme la porte derrière lui.

C'est à ce moment que se produit ce qui se produit généralement chez les humains dans ce genre de situation, et qui tient d'un lointain réflexe animal : le second souffle. Momentanément, son esprit s'éclaircit, et il comprend ce qu'il lui reste à faire. Ce second souffle le sauve du désespoir. Il pense à toute vitesse et tout devient d'une simplicité élémentaire.

Il est enfermé dans une cabine de toilettes et ne peut plus en sortir. Pourquoi ? Pour la raison suivante : il n'ose pas se laisser voir dans l'état où il se

trouve, bien malgré lui, dans cet état de double négligence de sa mise. Le problème se réduit donc à ces deux éléments déplacés qu'il s'agit de corriger : une barbe de deux jours et une chemise qu'il ne peut plus boutonner.

Donc, afin de remédier à la situation, il lui suffit de faire deux choses : aller s'acheter une chemise neuve – de toute façon celle-ci a fait son temps – puis, faire une petite visite chez le coiffeur qui le rasera comme il faut. Il en profitera pour faire rafraîchir sa coupe de cheveux en prévision de la réunion de demain. Cela ne devrait pas demander plus d'une heure, et il est préférable de s'absenter du bureau une heure que de s'y présenter tout débraillé.

Après avoir refermé son veston sur sa poitrine du mieux qu'il peut, il emprunte à nouveau l'ascenseur, traverse le hall d'entrée et se dirige vers la sortie lorsqu'il aperçoit, à sa plus grande surprise, la vagabonde de tout à l'heure appuyée contre la paroi de marbre.

Alors il s'arrête net. Elle l'observe, un petit sourire narquois au coin de la bouche.

David ne fait ni une ni deux et se précipite à l'extérieur où il se fond dans la foule.

Étranglé par la peur, il met un certain temps à retrouver ses sens et à se rappeler pourquoi il est descendu de son bureau, pourquoi il est dans la rue, et ce qu'il cherche au juste. C'est pourtant si simple : un grand magasin, où il trouvera une chemise neuve, et la boutique d'un coiffeur, où il pourra se faire raser.

Mais la vue de cette Folle l'a bouleversé. Il entre néanmoins dans le premier grand magasin qu'il voit et commence par faire le tour des étalages, poussé par les gens. Le suit-elle, cette clocharde ? La foule est trop compacte pour lui permettre de vérifier, et c'est tant mieux. Il passe devant le rayon des chaussures, celui des basculottes, devant les présentoirs de cosmétiques. Il traverse le rayon des dames, des enfants, des gens à forte taille, et se retrouve de nouveau parmi les chaussures. Alors, il lève les yeux dans l'espoir de trouver le rayon des chemises pour hommes. Mais, tout autour de lui, il n'y a que des consommateurs avides de faire de bonnes affaires qui passent sans le voir, et le poussent, l'étouffent, l'écrasent. Qu'ont-ils donc tous aujourd'hui à le bousculer ainsi?

Il ne sait plus où il est, où il s'en va, mais continue d'avancer, se faufilant entre les groupes de gens, bousculant lui aussi tout ce qui se trouve sur son chemin. Une seconde, il entrevoit son reflet dans une vitrine: un hurluberlu, les cheveux en l'air, le veston mal boutonné, le pantalon froissé. Mais il persévère et marche sans se décourager, car il sent que s'il s'arrête, il va s'écrouler et se mettre à pleurer. Pleurer, oui.

Est-ce possible qu'autant de malheurs lui arrivent la même journée? Il s'adresse à une caissière pour demander un renseignement: «Pardon, mademoiselle, pouvez-vous m'indiquer le rayon des chemises pour hommes, s'il vous plaît?» Mais la jeune fille ne répond pas, comme si elle n'avait rien entendu. «Pardon, mad...», fait-il encore, et cette fois c'est la cohue qui l'emporte.

Une larme, discrète glisse le long de son nez en une traînée chaude.

Il est soulevé par un bras de foule qui l'emmène le long de corridors de plus en plus étroits, en passant par de sombres escaliers mobiles qui n'en finissent plus de descendre; la bousculade forme des vagues, un raz de marée, qui entraîne tout ce qui se trouve sur son passage. Midi sonne. C'est l'heure de la sortie des bureaux, l'heure où tout le monde déjeune, c'est-à-dire ce moment de la journée dont on profite pour faire toutes ces petites choses qu'on n'a pas eu le temps de faire la veille, tous ces achats urgents qu'on ne pourra plus faire après le travail parce que les magasins seront fermés. Les foules de midi ne sont pas méchantes, mais pressées d'arriver au but, et chacun, n'ayant souvent qu'une seule petite heure pour tout faire, court et fonce afin d'avoir aussi, par la suite, le temps de manger. Et David est happé, avalé, englouti puis recraché par cette furie générale; il ne maîtrise plus ses mouvements et, dolent, il se laisse conduire dieu sait où, au diable vauvert, toujours plus bas.

La station de métro McGill, où il débouche enfin, est une grande galerie, au cœur de toute l'activité souterraine de Montréal, espace public par excellence. C'est l'endroit le plus fréquenté de la ville; la station ne dort jamais et les commerçants qui ont pignon sur ces couloirs en ont vu des vertes et des pas mûres. C'est là que l'on retrouve le plus de violence. C'est là que se retrouvent les meilleurs musiciens ambulants. C'est là que tous les amoureux se donnent leur premier rendez-vous. Mais c'est surtout un aquarium humain géant, qui gronde et qui bat comme un cœur infernal au milieu, et en dessous, du centre-ville.

Et c'est là que David est propulsé malgré lui, étourdi, harassé, à bout.

Qu'il se sent petit, insignifiant! C'est tout comme s'il n'existait pas. Il aimerait se reposer un instant. Mais où? La galerie n'est guère propice au repos, c'est un lieu grouillant, conçu pour faciliter le passage des gens d'un endroit à un autre. Les seuls bancs se trouvent en haut, à l'extérieur, dans les petits squares, mais l'hiver il est impossible de s'y attarder. Les snacks sont bondés; aucun siège libre ne s'offre à son regard. Que faire? Il ne peut rester immobile, il gênerait la circulation comme en témoignent les fréquentes bousculades dont il est l'objet. Les foules, la chaleur, le bruit, le mouvement; son vertige le ressaisit au point qu'il se demande comment il fait d'habitude pour supporter ces conditions, lui qui fréquente ces couloirs le midi pour éviter d'avoir à converser avec ses collègues.

Las, il décide de s'installer sur une des dernières marches d'un escalier de sortie, comme le font les quêteux de dernière classe, en quelque sorte, ceux que l'on voit accroupis dans leurs guenilles, immobiles, ayant renoncé à tout espoir, ceux à côté desquels on passe en détournant les yeux avec un sentiment mélangé de dédain et de pitié.

Il ne lui reste plus qu'à regarder autour de lui ce monde fou qui lui semble de plus en plus étranger. Les allées grouillantes, les vendeurs de babioles et de colifichets, la rotation continue des tourniquets, la musique syncopée en provenance des différents commerces, tout cela soudain lui paraît distant, irréel, comme s'il en était séparé par une barrière vitrée. Il se souvient d'une époque où il s'emballait au contact du réseau souterrain, avec son activité, avec ses couleurs, avec l'ensemble de son mouvement. Il était encore à l'université et, gonflé d'espoir et de rêves d'avenir, il se laissait aller au monde, avec dans la poitrine une énorme envie d'aventures, ce goût extraordinaire du nouveau. Cette époque où il débutait dans sa vie d'adulte était peut-être la seule où il se soit senti motivé par un tel appétit de vivre, poussé par le désir moins de réussir que d'avancer toujours plus vite, de tout savoir, de tout connaître. Il passait alors des après-midi entiers à errer dans ces couloirs, à découvrir ce vaste sous-sol merveilleux, offert à lui dans toute sa confortable tiédeur de lieu clos, à l'abri des vents d'hiver qui râpaient le sol au-dessus de sa tête comme de l'humidité estivale. Il se réjouissait de ce seul spectacle, galvanisé par le dynamisme et l'énergie de tous ces gens rassemblés. Il déambulait, s'arrêtait dans les librairies, les magasins de disques, de gadgets, d'appareils à la fine pointe de la technologie. Il y donnait rendez-vous à des jeunes filles rencontrées dans ses cours, il buvait de la bière aux terrasses de ces cafés intérieurs, il prenait le métro pour aller chez les copains. Mais que sont devenus ses copains aujourd'hui? Et ces filles, et cette joie, et cette naïveté qui lui avait fait croire si longtemps que son diplôme lui servirait un jour à trouver le bonheur?

Ce jour qui renfermait tant de promesses n'est jamais venu. Et David, assis sur la marche de l'escalier, comprend alors que ce jeune homme enthousiaste qu'il a été n'existe plus. Lentement, il a déraillé dans une voie parallèle, en apparence rapide, en réalité paresseuse. Le David jeune et heureux n'est plus là, il a tiré sa révérence pour faire place à un zombi. Oui, il est un véritable zombi, allant de chez lui au travail, du travail à chez lui, un mort vivant qui ne dévie jamais des itinéraires qu'avec le temps il s'est fixés, ou plutôt que le temps a fini par lui imposer.

À côté de lui, près de sa main, quelque chose de noir et de luisant se tortille. Il plisse ses yeux et voit que c'est une coquerelle, seule, toute petite, perdue dans l'étendue du béton. Il bouge la main et l'insecte se sauve.

Des images, comme un terrible bilan, défilent dans sa tête à la vitesse d'une publicité à la télévision. Il fait un effort surhumain pour les chasser de son esprit, et se met à penser à quelque chose de positif, quelque chose qu'il aime. Il boirait volontiers une bière. Une bonne bière froide en fût comme on vous les sert dans les tavernes populaires, dans un verre étroit et mal essuyé, rempli à ras bord. Une bière locale, de fabrication douteuse, que l'on vous apporte sans tralala, sans plateau ni grimace, qu'on dépose brusquement sur la table contre une somme ridicule. David aurait envie maintenant de se retrouver dans l'un de ces endroits sombres aux chaises basses, aux tables rondes, entre des murs chargés d'images, de photographies du propriétaire et de sa famille, de médailles diverses, de caricatures des employés. Là, confortablement installé devant son demi, il surveillerait distraitement les joueurs de billard, au fond, ou encore, il écouterait, sans en avoir l'air, la conversation de la serveuse avec un vieil habitué.

Et le centre-ville regorge de ce genre d'endroit. Même les rues les plus huppées ont leur taverne, et leur clientèle de prostituées, vieillards, jeunes motards en veste de cuir, vieux hippies sur le retour... Tous ces clients se retrouvent, le nez sur leur bière en fût, avec leurs problèmes, avec leur détresse. Pourtant, c'est dans ce genre d'endroit qu'on retrouve encore un dernier vestige de fraternité. Le sourire sympathique de la serveuse, un peu maternelle, parfois un peu soûle, toujours pressée; ou encore l'entrain d'un vieillard, qu'on aurait cru, une minute plus tôt, collé à son banc, affalé, et qui soudain sourit, s'agite, oscille de droite à gauche aux premiers accords d'une chanson populaire.

Et c'est précisément ce que David, dans sa tristesse, aurait envie de retrouver maintenant, à cette minute: un brin de gratuité, de vérité, que l'on ne retrouve plus que dans de rares lieux

comme les tavernes. Il y en a justement une dans cette galerie. Il lui suffit de se lever, et de s'y rendre.

Il vient d'ailleurs de se décider à quitter son escalier pour terminer l'heure du déjeuner attaché devant une bière.

C'est alors qu'il sent, contre sa nuque, un souffle rapide, éthylique. Il n'a pas le temps de se retourner qu'il entend déjà un rire aigrelet qui accompagne ce souffle. Il sait alors que c'est la Folle: elle l'a suivi. Elle le poursuit. Son sang se glace, mais quand il se retourne, la peur l'a quitté. L'agressivité prend le dessus, le fait parler:

– Allez-vous me laisser tranquille?

Il se lève dans un geste brutal et sort du fond de sa poche une poignée de monnaie qu'il fait tinter nerveusement.

– C'est de l'argent que vous voulez? lui crie-t-il en lui tendant les sous.

Quel mendiant sait résister à l'argent? Montrez-lui quelques pièces, et

même les plus soûls, même les plus en-
dormis réagiront. Ils tendront la main,
la bouche entrouverte, quémandant
avec gratitude le peu que vous êtes
prêt à donner. C'est la magie du dieu
argent. Personne ne refuse l'argent.
Même les plus déconnectés, même les
plus fous, même les vagabonds. Surtout les vagabonds. Mais la Folle ne
bronche pas d'un millimètre. Elle se
contente de le regarder avec une expression de pitié.

– Tu devrais pas être triste. Tu es
comme moi maintenant, déclare-t-elle.

– Comment comme vous ? riposte
David. Moi je travaille ! Et habituelle-
ment je suis propre et élégant. Ce n'est
pas ma faute si j'ai la gueule de bois
aujourd'hui. C'est la rançon de... d'une
vie active.

– Non, mon p'tit gars.

Ses cheveux graisseux s'agitent au
rythme de ses paroles. Elle est vraiment
hideuse. Et David, tout à coup se rend
compte qu'elle est la première personne

à lui avoir adressé la parole de la journée. Les autres l'ont bousculé, l'ont ignoré, ont fait semblant de ne pas le voir, de ne pas l'entendre. Partout il est passé inaperçu jusqu'à ce que cette loque humaine, crottée et puante, vienne le trouver sur sa marche d'escalier. Elle poursuit son discours sur un ton égal:

– Ce que tu as, c'est éternel. C'est final. C'est terminal.

Elle se tait un instant tout en continuant de le fixer avec intensité. Cela semble durer une éternité. Et David peut très bien percevoir son souffle qui est comme un sifflement, qui provient de loin, loin au fond de ses poumons malades. Elle lui dit:

– T'as pas compris? T'es mort.

Devant cette affirmation, David est secoué d'un grand éclat de rire, qui se termine quand même par quelques hoquets d'incertitude. Mais il se ressaisit. Ce serait plutôt à elle d'être morte, pense-t-il, avec les deux chutes qu'elle a faites ce matin. Une aurait probablement suffi; l'escalier de son immeuble est bien raide, après tout. Sans compter la glace ensuite. Il se souvient de la vision qui s'est présentée à lui plus tôt, de cette même vagabonde qui gisait sur le trottoir comme un gros poisson crevé sur une plage polluée. Et il voit encore les deux yeux qui s'ouvrent dans cette tête de morte et qui le fixent, ces yeux qui l'ont fait fuir.

– Chu pas mort! répète David pour se rassurer. Je vois les gens, je respire. Je fais même sauter mes boutons de chemise.

Et il se rassied, content de lui. Devant cette naïveté, la Folle prend le temps de s'asseoir à côté de lui sur la marche et lui offre un regard plus doux.

– Tu sais, mon p'tit, la Mort, c'est pas l'obscurité. C'est la vie en transparence. On voit les autres. On entend les autres. Mais eux ne nous voient pas. Ils ne nous entendent pas.

– J'te crois pas, répond David.

– D'accord, dit la Folle, suis-moi. Je vais te le prouver.

David hésite. Que vont penser les autres? Que vont dire les gens s'ils voient un jeune homme, pas si mal de sa personne après tout, suivre cette loque humaine, cette clocharde puante et soûle? Il entend encore la Folle lui dire:

– Ils ne te voient pas. Ils ne t'entendent pas.

Aussi, du pas hésitant d'un somnambule, il sort dans le froid et remonte les rues derrière ce guide étrange. Le chemin du matin est refait à l'envers. Ils atteignent sa rue, puis la dépassent, vont plus loin encore, jusqu'à la porte d'un grand immeuble gris dont la façade imposante écrase le trottoir et domine les gens qui passent devant. Là, la Folle se retourne. Et, avec un sourire taquin, presque enfantin, elle lui saisit le poignet. Il se passe alors quelque chose d'absolument incroyable; dans un mouvement fluide et léger, ils franchissent une porte close et verrouillée.

– Ça, c'est un des avantages, déclare alors la Folle, quand ils sont de l'autre côté. Quand on est mort, on passe partout.

David, les jambes flageolantes, le souffle coupé, la suit alors qu'elle emprunte une suite de longs corridors carrelés. Finalement, ils «entrent» dans une grande pièce froide, en franchissant le mur. De vrais passe-murailles! Là, dans un système de rangement blanc comme un réfrigérateur, dans une série de tiroirs, de nombreux corps immobiles dorment sous leurs draps.

La Folle lui fait signe d'approcher. Elle ouvre un tiroir, soulève un drap.

David est stupéfait. Un long frisson le parcourt alors qu'il se voit, couché là, à la place du mort, à sa place, puisque le mort, c'est lui! C'est lui, ce visage sans vie, c'est lui cette bouche écrasée, lui encore ces joues que tout le sang a quittées, recouvertes d'enflures, lui, lui,

lui! Sous le choc, il chancelle, tombe à terre.

Et, à moitié couché, à moitié assis sur les carreaux glacés, David se met à sangloter, à pleurer sa propre mort.

Lui mort! Comment est-ce possible? C'est sûrement un cauchemar! Quelle impensable absurdité, quelle folle inconscience l'auraient conduit à mourir ainsi, sans même s'en rendre compte, sans même y faire attention? Il ne comprend plus. Mais tous ces gens qui l'ont bousculé sans le voir? La dame apparemment si grossière dans l'ascenseur? Cette caissière qui ne l'a même pas entendu? Mais la porte d'entrée? Mais le mur franchi? Mais le corps qui est là? Mais la Folle? Et soudain, il la sent, cette froide réalité de l'absence de la vie. Depuis ce matin, depuis le cri affreux qui l'a réveillé, depuis son premier vertige, elle est en lui, elle l'accompagne, l'habite, le tenaille comme une main glacée. Et maintenant qu'il a vu, qu'il sait, qu'il a compris, il a cette drôle d'impression que rien ne peut aller plus mal. Il pleure. Il se laisse glisser dans la douceur des larmes. Elles lui font du bien. Ou presque.

– Faut pas pleurer, mon gars.

La Folle est restée près de lui. Il la voit entre ses larmes, son gros corps lourd avachi sur le carrelage de cette chambre froide, qui le regarde d'un air impuissant.

– Mais, comment serais-je mort, dit-il enfin, comment serais-je mort, puisque je ne m'en suis pas aperçu ?

La vieille prend une grande inspiration comme le font ceux qui ont quelque chose de long et de difficile à dire. Elle se penche en avant, parle plus bas, bien que, comme elle l'a dit elle-même, maintenant plus personne ne puisse les entendre.

– Hier soir... hum... hier soir, en revenant du... de la... de cette soirée...

– Oh, non, oh, non, fait David en hochant la tête, le regard perdu devant lui : il peut très bien s'imaginer la suite, il commence à se souvenir, à présent. Hier soir, il a trop bu. Tout le monde était dans le même état. Il était très tard, vers une ou deux heures du matin. Quelqu'un a dit: «Il n'y a plus de taxi disponible sur les routes à présent.»

– Allez, continuez, dit-il à la Folle au bout d'un moment, avec une drôle de résignation.

– Eh bien, tu es monté avec monsieur le président-directeur général, dans sa Mercedes noire.

David boit les paroles de la Folle et en même temps, voit devant lui une série d'images se dérouler comme au cinéma. Mais oui, bien sûr, quand le président-directeur général a déclaré qu'il rentrait, et qu'il lui a offert de le reconduire David a eu une seconde d'hésitation. Monsieur le directeur n'avait pas l'air ivre, mais David l'avait vu boire, tout au long de la soirée: d'abord des apéritifs, des gins, des martinis, ensuite du vin, beaucoup de vin – on fait venir une quinzaine de bouteilles, et elles ont toutes été bues – puis des digestifs, dont monsieur le directeur avait abusé. Mais comment refuser cette proposition, qui était presque un ordre; le président-directeur général n'aimerait pas que ses employés manquent une journée de travail le lendemain sous prétexte qu'ils sont rentrés trop tard, alors, David a accepté.

– Le président-directeur n'était pas trop en état de conduire, poursuit la Folle.

– Stop! Ça suffit, fait David brusquement. Il a compris. Il est mort.

– Et, le président, demande-t-il toutefois, avec quelque appréhension, le président?

La Folle ne répond pas.

Et David devine que le président-directeur général est probablement encore vivant, lui.

– Mais qu'est-ce que je vais faire, à présent? Passer au travers des murs, c'est amusant, mais ce doit être lassant à la longue. Et puis où sont mon drap blanc, mon rire démoniaque, mes lueurs vertes, tout ce que tout bon fantôme se doit de posséder ?

Il dit cela avec une espèce d'ironie amère. La Folle lui répond :

– C'est le folklore des vivants, ça. Moi, j'ai fait mon devoir. Je t'ai réveillé à la mort. Maintenant, c'est à ton tour. Il faut que tu ailles avertir quelqu'un d'autre. Moi, je vais changer, je vais continuer mon chemin d'une autre manière. J'ai toujours rêvé d'être une corneille et c'est ce qui va m'être donné. Tu comprends, en mourant nous avons chacun une tâche, celle que j'ai accomplie : réveiller quelqu'un d'autre à la mort, lui expliquer ce que je suis en train de t'expliquer. Ensuite nous pouvons choisir ce que nous voulons être pour toute l'éternité. Il faut bien réfléchir, parce qu'on ne peut pas changer à tout bout de champ, mais je pense qu'un changement de carrière est peut-être acceptable. Enfin, il faut essayer de trouver ce qu'on a toujours voulu être. Pas nécessairement ce qu'on disait aux autres qu'on voulait être; plutôt ce qu'on gardait au fond de son cœur. Au début, j'avais bien pensé que j'aimerais être quelque chose qui est associé à la chaleur, j'ai eu assez froid dans ma vie, mais en fin de compte, c'est l'idée d'être une corneille qui me tente.

Une corneille remplace aussitôt la Folle.

Un employé, attiré par le bruit des ailes et les cris rauques de l'oiseau, entre et ouvre une fenêtre pour laisser partir la corneille. Elle disparaît en quelques grands battements noirs. David entend clairement la pensée de l'homme : « Y s'passe de drôles de choses à la morgue ! C'est peut-être parce que le bâtiment, il est vieux, que tout passe à travers comme dans un fromage de gruyère. »

La Folle est partie. L'employé aussi. Et David, tremblant d'appréhension,

passe en hésitant à travers un mur pour se retrouver dans la rue.

Trouver quelqu'un d'autre. Comment? Pourquoi? Où?

Il pense aussi: je ne veux pas être un oiseau, moi. Qu'est-ce que je veux être? Il aura erré longtemps par les rues, il ne saurait dire combien de jours au juste, des mois, peut-être. Il se sera souvenu de sa vie passée, puis, peu à peu, aura appris à l'oublier.

– Qu'est-ce que je veux être? La question flotte au-dessus de lui comme une menace, comme une obligation: être quelque chose, être quelqu'un. Qu'est-ce que je veux être? Il est si peu habitué à décider, à choisir, que la question le déroute.

Puis un jour, alors qu'il ne pense à rien de particulier, il se rappelle ses ravissements d'enfant, quand il regardait, les soirs d'été où il avait fait très chaud, un dernier nuage rose suivre là-bas au loin le soleil couchant. Un nuage, ça voyage. Un nuage, c'est léger. Il flotte au-dessus de la terre, domine la situation encore mieux qu'un président de compagnie. Peut-être qu'il pourrait devenir un nuage. Un nuage rose qui fuit dans le soleil couchant. L'idée lui plaît. Il se surprend à rêver de déserts, d'îles du Pacifique, de jardins où le chant d'un rossignol le bercerait lorsqu'il se reposerait sur la cime des arbres.

Mais il y a un hic pour atteindre ce petit paradis, pour devenir cet être léger idéal, il faut trouver une autre personne. Une autre personne qui ne sait pas encore qu'elle est morte.

La Folle, il l'a vue longtemps dans son quartier, avant qu'elle ne lui annonce sa mort. Était-elle vivante, était-elle morte? Le préparait-elle à l'avance à sa nouvelle condition par sa présence? David est moins patient, il est pressé de devenir un nuage. Et il n'a pas été programmeur statisticien pour rien. Une idée brillante surgit.

Il va s'installer sur la banquette arrière d'une voiture de police. Et c'est bien connu, les policiers ne ramassent pas que des criminels. Ils font aussi des constats de décès. Sa quête sera donc plus courte que celle de la Folle. Et probablement plus intéressante.

David se retrouve donc sur la banquette arrière d'une voiture de police. Pendant une semaine entière, il aura eu devant lui deux casquettes bleues sans qu'il se passe rien d'intéressant. Des contraventions, des scènes de ménage, des rues fermées pour défilés, de fausses alertes. Il aura eu des émotions fortes ; une chasse à l'homme qui l'a réveillé une nuit, en plein centre-ville, avec des coups de feu, lui aura donné quelque espoir. Mais le voleur, arrêté, menotté, ligoté, est venu le rejoindre sur la banquette arrière, bien vivant, seulement hargneux, plein de rage, et gigotant si bien que David a souhaité qu'on l'enlève de là le plus vite possible. À qui annoncera-t-il la mort ? Ce pourrait être à un trafiquant de drogues, victime d'un règlement de comptes, qu'on aurait, par exemple, tué

d'une balle dans l'ascenseur de son immeuble; ou encore à un terroriste
n'ayant pas posé sa bombe à temps; à
un magnat de l'industrie tué lors d'une
bagarre dans son usine, ou bien au chef
d'un syndicat à qui on aurait posé un
guet-apens, entre deux ruelles sombres.
David a le temps d'y penser, sur cette
banquette arrière de la voiture de police.

Mais ce ne sera ni un grand criminel, ni un héros de quelque aventure
policière que David trouvera finalement. La difficulté de sa tâche vient du
fait qu'il doit réveiller à la mort une
personne *qui ne sait pas* qu'elle est
morte. La plupart des gens qui meurent
le savent à l'avance. Ils sont peut-être
malades depuis longtemps ou se suici-
dent. D'autres sont des fugitifs qui savent qu'ils ont des tueurs à leurs
trousses, d'autres encore ont le temps
de voir venir l'accident. Alors, préve-
nus, ils comprennent immédiatement
qu'ils sont morts, n'ont besoin de personne pour leur annoncer la nouvelle,

entament tout de suite leur existence dans l'éternité. David commence vraiment à déprimer ; son rêve de devenir un jour un nuage rose flottant dans les cieux semble chaque jour s'éloigner davantage. Heureusement, se dit-il un jour, qu'il y a les distraits.

Car c'est effectivement à une jeune femme distraite ayant avalé plus de somnifères qu'il n'en fallait que David est amené à annoncer la mort. En passant un beau jour dans une petite rue résidentielle, il voit sur les marches d'un immeuble un homme qui essaye en gesticulant d'arrêter une voiture. Aux explications que cet inconnu donne à un chauffeur complaisant qui s'est effectivement arrêté, David comprend que la chance est avec lui. Ce monsieur avait voulu emprunter le fer à repasser de sa voisine de palier et s'étonnait non seulement qu'elle n'ouvre pas sa porte mais aussi qu'elle ne réponde pas à ses coups de téléphone répétés. Elle ne pouvait pas être partie au travail ; par la cloison il aurait enten-

du les bruits habituels de ses prépara-
tifs. Comme elle lui avait confié la clef
de son appartement, il s'est permis d'y
entrer et voilà qu'il la trouve étendue,
morte, sur son lit. Dans son énerve-
ment, au lieu de se servir du téléphone
pour appeler la police, il s'est précipité
dans la rue.

David se dépêche de trouver l'appartement de la jeune personne. Lise,
car c'est ainsi, d'après son voisin de palier, qu'elle s'appelle, se retourne dans
son lit, pousse de petits grognements.
Son visiteur regarde autour de lui. Bel
endroit, clair et ensoleillé, les murs ta-
pissés de livres, les meubles choisis
avec beaucoup de goût. Très différent
de son ancien chez-lui. Il se prend à
rêver de deux petits nuages roses.

Mais Lise semble se réveiller. Elle
ouvre des yeux, un peu bouffis après
tant de sommeil. Lentement elle comprend qu'elle n'est plus seule. Se re-
dressant dans son lit, elle ouvre la
bouche pour crier au secours. David a
beau lui expliquer que comme lui elle

est morte, tenter de lui faire comprendre qu'elle peut maintenant choisir son destin éternel, les yeux écarquillés elle prend le téléphone, compose le numéro d'urgence, et balbutie d'innombrables fois: «Il y a un FOU chez moi, un FOU, vous m'entendez, un FOU, je vous le répète, un FOU.» David veut protester quand tout à coup il se rappelle tristement le surnom qu'en pareille circonstance il avait donné à la vieille clocharde, la Folle. Peut-être que cela aussi fait partie des rites de passage.

Le plus de Plus

Réalisation : Françoise Ligier
Andrée Lotey
Marie-Françoise Taggart

Une idée de Jean Bernard Jobin
et Alfred Ouellet

AVANT DE LIRE

Mini-test de personnalité

Pour comparer votre personnalité à celle du héros faites ce mini-test puis allez voir l'interprétation de vos résultats par l'auteure Marie-Françoise Taggart.

1. Pour aller au travail ou à l'école, vous préférez...
   a. prendre toujours le même chemin, c'est plus simple
   b. changer souvent de chemin, c'est plus amusant
   c. choisir entre deux ou trois trajets selon votre humeur.

2. Chez vous, vous préférez vous retrouver...
   a. dans la cuisine
   b. dans le salon
   c. dans votre chambre.

3. Vous êtes dans la rue et soudain vous apercevez une maison à vendre dont les fenêtres crachent de l'eau ;
   a. vous appelez la police immédiatement, même s'il vous faut sonner chez des inconnus pour utiliser le téléphone
   b. vous avertissez un passant

c. vous passez votre chemin jugeant que cela n'est pas de vos affaires.

4. Vous travaillez pour une compagnie qui organise un gala. À l'ouverture, la personne qui doit lire le texte de bienvenue aux 300 invités arrive avec une extinction de voix;
   a. vous vous proposez pour lire le texte à sa place, même si vous avez le trac
   b. vous cherchez activement quelqu'un d'autre
   c. vous ne faites rien et attendez de voir ce qui va se passer.

5. Quand on vous demande quelle est votre saison préférée, vous répondez...
   a. j'aime toutes les saisons
   b. je n'aime aucune saison
   c. j'aime bien l'été mais je pense que l'hiver a ses charmes.

6. C'est vendredi soir, et vous avez un peu d'argent;
   a. vous le dépensez vite et sans plaisir, parce que vous êtes fatigué
   b. vous sortez avec des amis jusqu'aux petites heures du matin et c'est vous qui payez les dépenses

c. vous achetez cette paire de souliers que vous convoitiez depuis longtemps.

7. Vous vous considérez comme quelqu'un...
   a. qui a le sens des responsabilités
   b. qui n'a pas le sens des réalités car dans le fond vous êtes un rêveur
   c. qui est rusé, futé, débrouillard.

8. À cause d'un changement de dernière minute, vous vous retrouvez soudain avec un après-midi libre devant vous ;
   a. vous en profitez pour faire la sieste
   b. vous êtes complètement désœuvré, perdu
   c. vous allez au cinéma.

9. Quand on vous donne un cadeau...
   a. vous avez du mal à l'accepter
   b. vous êtes très content
   c. vous êtes content, mais vous vous sentez obligé d'offrir quelque chose en retour.

10. Quand vous fermez les yeux, vous voyez...
    a. tous vous soucis
    b. de beaux rêves
    c. rien du tout : quand on ferme les yeux on ne voit plus rien ! Non ? Quelle question stupide...

Inscrivez vos résultats et comptez vos points en consultant le barème ; plus vos réponses sont proches de celles du héros plus vous obtenez de points.

Questions	Vos réponses	Les réponses du héros	Vos points
1.		A	
2.		A	
3.		C	
4.		C	
5.		B	
6.		A	
7.		A	
8.		B	
9.		A	
10.		A.	

Question			
1.	2	0	1
2.	2	0	1
3.	0	1	2
4.	0	1	2
5.	0	2	1
6.	2	0	1
7.	2	0	1
8.	1	2	0
9.	2	0	1
10.	2	1	0

1. Si vous avez obtenu entre 0 et 5 points
   Vous êtes l'heureux détenteur d'une
   personnalité belle et forte. Extraverti de

nature, on vous aime parce que vous êtes drôle et spontané. C'est une personnalité bien différente de celle du héros de cette histoire... en apparence car votre gaieté et votre sens de l'humour aigu cache un esprit contradictoire. Vous vous posez beaucoup de questions et pouvez même être profondément triste.

Lisez l'histoire qui suit et vous saurez ce que je veux dire...

2. Si vous avez obtenu entre 6 et 14 points
   Vous savez généralement bien faire la part des choses. Vous aimez vous garder actif, vous savez manœuvrer votre bateau mais vous ne détestez pas qu'on le fasse à votre place... Égoïste? Non, au contraire... et impulsif parfois. Si vous lisez cette histoire vous vous reconnaîtrez ici et là, mais vous ne l'admettrez pas, et puis vous y reconnaîtrez d'abord d'autres personnes qui vous entourent. Vous qui aimez qu'on vous étonne, vous serez servis.

3. Si vous avez obtenu entre 15 et 20 points
   Quel orgueil! mais aussi, quelle détermination, quelle endurance... et si je vous disais qu'au fond vous êtes un tendre! Oui, vous êtes unique, mais

pas solitaire. Lisez un peu l'histoire, pour voir.

Je n'ai fait ni une ni deux

« Je n'ai fait ni une ni deux » cela veut dire « J'ai pris ma décision rapidement. »

Dans le tableau suivant indiquez les lettres qui vont avec les chiffres.

1. ____ ; 2. ____ ; 3. ____ ; 4. ____ ;
5. ____ ; 6. ____ .

1. J'ai été reçu avec grande simplicité.

a. Ce matin il a mal à la tête et il a des vertiges : il a la gueule de bois.

2. Anne est propriétaire d'une boutique rue Laurier à Montréal.

b. Pourquoi est-elle allée s'installer au diable vauvert ?

3. Plus rien ne le choque, plus rien ne le scandalise parce qu'il a déjà entendu tant de choses !

c. Il se met à battre très vite, il bat la chamade.

4. Denise habite
très loin ; pour
aller la voir il faut
prendre le métro
puis l'autobus.

d. Elle peut dire
qu'elle a pignon
sur rue.

5. Hier soir, David a
bu des apéritifs,
puis de la bière
et du vin.

e. Il en a entendu
des vertes et des
pas mûres.

6. Sous le coup de
l'émotion le
rythme de son
cœur accélère.

f. La réception était
sans tralala.

AU FIL DE LA LECTURE

Dix questions

1. À quel moment de l'année se déroule
   cette histoire
   a. au printemps
   b. en été
   c. a l'automne
   d. en hiver.

2. Quel est l'âge du personnage princi-
   pal ?
   a. entre 18 et 25 ans
   b. entre 25 et 35 ans
   c. entre 45 et 50 ans
   d. plus de 50 ans.

3. Quel est le métier de David
   a. réceptionniste
   b. président de compagnie
   c. statisticien
   d. animateur à la radio.

4. Pourquoi David continue-t-il de travailler même s'il n'aime pas la compagnie pour laquelle il travaille?
   a. pour les cocktails
   b. pour l'argent qu'il gagne
   c. parce que son poste est convoité
   d. pour rencontrer des gens.

5. Qui voit-il dans la rue le matin en allant au travail?
   a. une itinérante
   b. des gens pressés
   c. un vieil ami
   d. son reflet dans une flaque d'eau.

6. La station de métro McGill est décrite comme étant...
   a. calme
   b. dangereuse
   c. déserte
   d. désaffectée.

7. Où David aimerait-il aller boire une bière?
   a. dans un snack-bar
   b. dans un club chic
   c. dans une auberge
   d. dans une taverne.

8. Quelle est la réaction de David quand la Folle lui apprend qu'il est mort?
   a. il a peur
   b. il lui donne un coup de poing
   c. il ne la croit pas immédiatement et il rit
   d. il a très mal au ventre.

9. En quoi la Folle se transforme-t-elle?
   a. en oiseau
   b. en insecte
   c. en rat
   d. en fromage de Gruyère.

10. En quoi David décide-t-il de se transformer?
    a. en poisson
    b. en criminel
    c. en policier
    d. en nuage.

Une affaire de famille

Rapprocher des mots de la même famille cela peut aider à cerner le sens. Voici des adjectifs tirés du texte. Trouvez le nom de la même famille (plusieurs de ces noms sont dans le texte).

Adjectifs	Noms
1. mensuel	masculin
2. important	féminin
3. luxueux	masculin
4. doux	féminin
5. sportif	masculin
6. démentiel	masculin féminin
7. démoniaque	masculin
8. cadavérique	masculin
9. éternel	féminin
10. stupéfait	féminin

Des mots qui viennent d'ailleurs

1. Certains mots passent d'une langue à une autre sans transformation; c'est le cas du mot « snack » qu'on retrouve dans le texte avec le même sens que le mot anglais.

Trouvez dans le texte un mot qui est passé ainsi du latin au français. R:

_____

2. Certains mots passent d'une langue à une autre en se transformant un peu; c'est le cas du mot «coquerelle» qui au Québec est utilisé pour désigner un cafard ou une blatte. Cet insecte souvent lié à la saleté et à la nuit porte en anglais le nom de «cockroach». Trouvez dans le texte un mot qui désigne dans la langue parlée au Québec, la neige fondante ou fondue mélangée souvent à du calcium; en anglais ce mot est «slush». R:

_____

S'habiller

Cochez le nom des vêtements qui n'apparaissent pas dans le texte (x). Puis, attribuez les vêtements qui restent à David (D), à la femme présentée comme la Folle (F), ou à d'autres personnages (A)

1. Une chemise ( )
2. Un par-dessus ( )
3. Un com-plet ( )
4. Un man-teau ( )
5. Une robe ( )
6. Des chausset-tes ( )
7. Des col-lants ( )
8. Un tail-leur ( )
9. Un chapeau ( )
10. Des souliers ( )
11. Une jupe ( )
12. Une casquette ( )
13. Un ves-ton ( )
14. Un pan-talon ( )
15. Un blouson ( )

Mots croisés

Voici une grille dans laquelle vous devez placer dix mots qui sont dans le texte et qui sont en rapport avec l'héroïne.

Horizontalement

1. Verbe qui signifie : demander humblement et avec insistance (de l'argent, un secours, une faveur). QU _ _ _ _ _ ER

2. Adjectif (au féminin) qui décrit l'état de quelqu'un qui a trop bu. S _ _ LE

3. Se dit d'une personne qui se déplace, sans avoir de résidence fixe. IT_ _ _ _ _ _TE

4. Verbe qui signifie : Aller au hasard, à l'aventure. ER _ _ R

5. Verbe qui signifie : Demander l'aumône, la charité. ME _ _ _ _ _

Verticalement

6. Au Québec personne qui demande de la nourriture ou de l'argent QU _ _ EUX

7. Qui n'a pas de logement. SA _ _ A _ _ I

8. Adjectif. Se dit de quelqu'un qui a trop bu I _ _ E

9. Personne de sexe féminin socialement inadaptée, qui vit dans les grandes villes sans travail ni domicile. CL _ _ _ A _ _ E

10. Au sens figuré, cette expression signifie : être effondré, sans énergie, qui a perdu tout ressort. LO _ _ _ humaine.

POUR PROLONGER LA LECTURE

**Elle n'a ni nom de famille,
ni prénom ; pourquoi ?**

Autres temps, autres mots

Elle était clocharde. Elle est maintenant une personne itinérante... les temps changent et les mots pour le dire également. Au Québec, alors que les vieux devenaient successivement des vieillards, des personnes âgées et des personnes du troisième âge, les jeunes délinquants devenaient, eux, des jeunes en difficulté. Les filles-mères sont passées au statut de mères célibataires pour maintenant se retrouver chefs de famille monoparentale.

Cette évolution de la langue manifeste indéniablement un plus grand respect des personnes.

1. Complétez avec des mots du texte «Autres temps, autres mots».
   Les V I E U X sont devenus
   des V_____S,
   des P_____ _____,
   des P_____ _____,
   _____ Â_____.

2. Complétez avec des mots du texte «Une affaire de vie ou de mort». Celle que tout le monde appelle la Folle, est aussi
   une CL_____ E,
   une VA_____E,
   une S_____ A_____S,
   une I_____E.

Bulletin Droits et Liberté, Service de l'accueil et des communications. Commission des droits de la personne du Québec.

Et vous, qu'en pensez-vous ?

À la lecture du texte intitulé « Autres temps, autres mots », Lysiane Gagnon[1], journaliste à Montréal a réagi en disant que ces mots nouveaux était du « jargon »[2] de bien-pensants[3]

« Montréal, ville... si belle et si multiple »[4]

Dans la préface d'un livre sur Montréal[5], Michel Tremblay parle de sa ville en ces termes : « (...) la lumière dont elle est baignée et celle qu'elle dégage, les violents orangés de ses levers de soleil et le rose cendré de ses couchers de soleil. »

Dans *Une Affaire de vie ou de mort*, Marie-Françoise Taggart parle de sa ville, Montréal, en des termes semblables. Quels sont ces termes ?

1. Voir article « Le jargon des bien-pensants », *La Presse*, 12 octobre 1982.
2. Jargon : langage incompréhensible, compliqué, artificiel.
3. Bien-pensant : qui pense conformément à un ordre établi (religieux ou politique par exemple).
4. Michel Tremblay, écrivain québécois de renommée internationale, né à Montréal.
5. Michael Drummond, Michel Tremblay, *Montréal*, Hurtubise HMH, 1990.

Les Solutions

Je n'ai fait ni une ni deux

1.f ; 2.d ; 3.e ; 4.b ; 5.a ; 6.c.

Dix questions

1.d ; 2.b ; 3.c , 4.b , 5.a ; 6.b ; 7.d ; 8.c ; 9.a ; 10 d

Une affaire de famille

1. mois ; 2. importance ; 3. luxe ; 4. douceur ; 5. sport ;
6. dément(m) démente(f) ou démence (f) ; 7. démon ;
8. cadavre ; 9. éternité ; 10. stupéfaction.

Des mots qui viennent d'ailleurs

Réponse= le credo
Réponse= la sloche

S'habiller

1.d ; 2.d ; 3.d ; 4.f ; 5.x ; 6.d ; 7.x ; 8.a ; 9.f ; 10.d ; 11.x ;
12.a ; 13.d ; 14.d ; 15.x

Mots croisés

1. quémander ; 2. soûle ; 3. itinérante ; 4. errer ; 5.
mendier ; 6. quêteux ; 7. sans-abri ; 8. ivre ; 9.
clocharde ; 10. loque.

Pour prolonger le texte

1. Les vieux sont devenus des vieillards, des personnes âgées, des personnes du troisième âge.

2. La Folle est aussi une clocharde, une vagabonde, une sans-abri, une itinérante.

« Montréal, ville...si belle et si multiple »

« Puis un jour, alors qu'il ne pense à rien de particulier, il se rappelle ses ravissements d'enfant, quand il regardait, les soirs d'été où il fait très chaud, un dernier nuage rose suivre là-bas au loin le soleil couchant. »